政りごと

藤森　幸二

政りごと

あらすじ

本書は第二次世界大戦が終わってから今日までの日本の政治体制を見た時の感想と、ここはこうすればいいあそこはこうするべきだという私の考えを述べたものである。戦前・戦後の動乱の現代社会を生きている私たちであるが、戦争や犯罪を無くし社会を少しでも明るく楽しくするには今の政治体制を改める以外にない。それには今まで私が体験したこととか人から聞いた話や勉学したことなどを統計して、色々な角度から考えてみることにした。

その結果、完璧な民主主義を目標とし主義・主張を持たない無党中立派の総理の下に主義・主張を各党が寄りあってそれぞれの意見を出しあい、総理と副総理が慎重に協議した上で決断する政治体制を発案することができたのである。

読んで下さる皆さんから「この政治体制はあんたが考えたのか。よく考えたな。そのとおりだよ。これは然るべきところで認められればノーベル平和賞ものだな」と言っていただけることを期待する。

それとも誰かが言うように今生きている人間がそっくり入れ替わらなければ世は一新しないのか真意をはっきり知りたいとつくづく思う。

主旨は私の発案した政治体制であるこの文章を各章ごとに区切って最後に参考文献を付けるなど読みやすく工夫してみた。美辞麗句を並べたのではなく誰が読んでもはっきり分かりやすく綴ったものである。そのように完璧な民主主義を目標とし各党が話し合う政治体制を懇切ていねいに解説したこの文章を生かすべく世の中の諸々の困苦から民衆を救い出してあげたいと切実に願うばかりだ。非現実的だからこそ改革なのである私が発案し試行錯誤されるべきこの政治の民主化ともいうべき政治体制である。全世界の国々が参考にして取り上げてくれれば本望であり書いたかいがあったと、つくづく思う。

テレビを観ればイランで紛争がありアメリカとの衝突が危ぶまれたり、日本では子供が両親に虐待され死亡するなど暗く悲しいニュースが報道されている。もうこのような暗い事件が起こらないようにするためにも思い切って政治そのものを変えなければならないのである。

同じ主義・主張の者同士が徒党を組みその中のひとりが総理になって一国の政治を行う。つまり与党である。他党の政治家つまり野党を始め全国民に対し「我が党や総理の考えに従え」と言っても人それぞれ顔やかたちが違うのといっしょで、主義・主張も微妙に違う民衆にとって上辺だけ従っても抵抗を感じる以外ないのである。

今までのような与党が決めたことに対して野党がやいやい言っても逃げ道ができているなどほとんど通らないやり方に対し、むり・むだ・むらを無くした上での政治活動に悔い改めるべきではなかろうか。不条理を改めた結果、戦争だけでなく人類を苦しめていた諸々の病巣（びょうそう）まで消滅してしまったのだ。
完璧な民主主義を目標に各党が話し合う政治体制が公に認められ実践の暁を
見ることを心から望んで止まない。

目　次

はじめに

太平洋戦争終結から現在に至るまでの日本の政治の流れを見たとき、次のような感想をもった。

どこの政党が政権を握ったとか、与党・野党のランクを付けるなど、一党独裁的である。そしてそのような、時の覇者が政権、つまり政策を実行し政治を行なう権力を握る明治以前から続く慣習が未だに漂う政治のファッショ的スタイルこそ、戦争をはじめとする諸悪の根源ではなかろうか。

「天は人の上に人を造らず、人の下に人を造らず」の格言とか、国民主権の原則、リンカーンの「人民の人民による人民のための政治」など偉い人たちが唱えた三つの政治理念を統括し共通点を求めた時、「一党独裁にしない。政治は基本的に完璧に民主的でなければならない」という解答が浮かび上がった。これはだれが考えても正解ではなかろうか。「職業に貴賤はない」。色々な職業があるので社会は成立している。そのような分業成立している社会のひとつの歯車になって働いている人たちひとりひとりを大切にする政治でなければならない。

議員の数が多すぎるとか、完全に民意を反映していないという声を聞く現在の日本の政治のシステムを、私が考案した政治体制に切りかえる今は過渡期であるとつくづく思う。それには現在の憲法を改め、首相公選制をはじめ議会制度そのものを大変革しなければならない。

第一章、私が考案した政治体制

一、総理と副総理は、主義・主張がない政治的センスのレベルが高い無党中立派の立候補者から、国民の直接投票によって選出し任期は○年とする。

二、○年に一回衆参両院選挙を行う。選出された各党の数はたとえば○党と定め、マンネリ防止のため、たとえば○年に一回律動的（りつどうてき）に新しい政党に一新する。

三、それぞれ各党の員数は従来の員数を参考にするなど順調な政治活動が運営できる必要最小限とし、同一員数とする。

四、国会議事堂は従来の古い建物を使用せず、新しい議会制度に見合った国会議事堂を設計し建設する。

五、県議会や市議会等もこの体制に準ずる。

六、議事は各党の代表をたとえば○名と同一に定め出席する。「三人寄れば文殊の知恵」、それぞれの各党が建設的な意見を取り交わし、真理を追求する。

七、民衆にとって聞いた耳に屈辱的に聞こえる「お大臣さま」という呼び名を改め、国務を担当する各省の最高責任者は各党がローテーションを組み持ち回りにする。

八、人それぞれ異なり、時の経過と共に変貌することもあるのが民意である。外国にも上院と下院があるように、少数派の意見の見直し及び尊重をふくめて、再度審議しなおし方針を定める衆・参両院制度は、絶対必要不可欠といえる。

九、総理は無党中立派であっても、優柔不断な議事の進行はしないように心がけ、よりいっそう自我を抑制し、一国の総理として責任をもって諸事に対応する。

十、全議員は、国家の平和と繁栄を司る聖職を、人を幸せにしてあげれば自分も幸せになれる信念の下に誇りと情熱を持って遂行すること。[注1]

たやすく政治活動というが、現実は複雑かつ難解な諸問題が次から次と降りかかってくるものと思われる。

私が考案した政治体制は、基本的に各党の話しあいによって真理を求める運びになっている。したがってそれら諸問題に対応するには、総理は的確な判断力と強固な決断力、そして強靭な意志の力などが必要になってくると思う。

日本だけでなくどこの国にもいる主義・主張のない無党中立派の議員[注2]が、この国の総理を担当すれば敵がいないからトラブルにならずに、会議がスムーズにいく。

ゆえに、総理の選出にあたっては、公私共に認める無党中立派の立候補者の中から優秀な人材を国民の直接投票によって選出するのである。

そしてたとえどんなことがあっても、形だけは私が考案した政治体制を貫けば、戦争のない天下泰平の世は確保できよう。

議院内閣制の日本だけでなく世界の国々にも共通して当てはまるはずである。

今までは、国民から選出され政権を取得した支持率が高い第一党が、独断同様で物事を決める体制になっていた。それは危険極まりない単独行動に等しい。「氷河は動く」。いずれじわりじわりとつけが回ってくるだろう。

各党をひとりの人間として考えたとき、十人十色、人それぞれ顔・形が異なるのに比例して心情も主義・主張も千差万別である。ゆえに同じ党内でも派閥が生じるのだと思う。そんな中で中立的で片寄らない心情や主義・主張の持ち主も当然存在するはずである。一党独断で決めるより「三人寄れば文殊の知恵」。主義・主張が異なる各党の代表が和気あいあいとそれぞれの意見を出しあう。

総合的な判断は「中庸」の信念を念頭におく主義・主張がない無党中立派の総理と副総理に委任し、結果導き出された真理こそ、一切の不正が通らない国民にとって信頼のできる解答といえる。それぞれ各党の人たちとそれを支援している人たちも、もっと早く発案され施工されていればどれだけ多くの人々が浮かばれていたか分からない私の考案した政治体制に対して自分の考え方が一番正しいと思っていたがそういう考え方もあるんだなと気づいてくれたと思う。

ここで主義・主張がちがう敵と会議になどなるかという懸念である。理想と現実とのギャップの対応策として、仮の場をさずけ各党の代表が集ってそれぞれの理念・政策のちがいを克服するべく実践を繰りかえし、よしこれでやっていけると確信したときに、はじめて実現に向けるのが順序といえよう。各党とも無党中立派の総理のもとに国民ひとりひとりの幸せを最優先する共感感情でおのおのの理念・政策の方向性を主張すること。このことに関しては、一九九九年、日本のある政党同志が連立を組んだ前代未聞の連立政権が今日まで難なく運営されてきている前例を見ても納得がいくはずである。

ちなみに親戚でも仲のよい親戚と仲の悪い親戚があるように「人間ほどの感情で生きる動物はない」。子供の頃からそりが合わない人とか、学校や職場でにが手な相手がいるのではなかろうか。かみつきくいさがるライバルほど、自分の人生にとって「あとで気が付くたわけの知恵」。知らなければ大損をする重大な情報を御存知のことに、お気づきの人もいるはずである。

各党はそれぞれ主義・主張がちがうかわりに、その党にないよい知恵も浮かぶと思う。

今までのような与党・野党制度を廃止して、ミーティングのルールを定め、それにしたがい、妥協するべきところは妥協してコミュニケーションを円滑に保つよう会議をすすめた時、物事の解決の糸口が必ず見い出せると確信する。

なおここが重要なところである。主義・主張があってカリスマが強い者が無党中立派だと偽って総理を務めると、同主義の者ともちつもたれつのパイプをとるなど片寄った政治展開になりかねない。無党中立派の立候補者だけは主義・主張があるなしの徹底した審査を行い、総理としてふさわしい厳選された人材のみ採用することを法制化する。現実的に主義・主張など全くありませんなんて人などいないかもしれない。こういう政党を作って運営したい、こういう国家を建設してみたい、という願望はだれでも少しは持っているのではと思う。自分が抱いている主義・主張を人間の価値が決まる理性で抑制することができ、日本そして世界全体ひとりひとりの幸せを主体として行政ができる、中立的で無党派の人材を一国の総理に選出することが肝要ではなかろうか。

第二章、反戦と対応

「俺、将来自動車修理工になりてえ」

「俺は水道屋だ」

幼い日、野や山で遊びささやかな夢を語りあった幼なじみがいた。大人になって召集され中国戦線や神風特攻隊に……。

故郷の美しい海を見おろす丘の上に建てられた戦没者の慰霊碑がある。線香の匂いが漂う石に刻まれた何人かの戦没者の中に二人の名前があった。

双方に多勢の犠牲者をだして勝敗を決する、ひとりじゃなんにもできない兵隊もいるのが戦争だ。そんな戦争のない民衆が安心して暮らせる世の中にするにはどうすればいいだろう。

一九四五年、戦後の国際関係の調整や平和の維持確立のために作られ全世界一国のこらず加盟を義務づけるべき国連と、言語や宗教や考え方などが異なる世界各国から選出された兵士によって編成された多国籍国連軍を設置し、それを有意義に活用する。

世界各国があらゆる面で相互依存しなければならない国際情勢。そしてそれが本格戦争に歯止めをかけている時代である。

時代が進むにしたがい、今は核抜きで本格戦争をしても、人類は自分で自分の首をしめてしまう【注3】破壊力があるほど、兵器も戦闘テクニックも発達をとげている。

各国共、自国の采配をにぎる一国の総理が、どの政党にも主義・主張が傾倒しない。総理をカリスマにせず、勉学やスポーツ等の世界だけでいいトップ争いをなくせば、国内も国と国もトラブルがおこらず、まるくおさまると思う。

鳥や魚の世界にはない国境があるためにトラブルはおこる。「勝てば官軍負ければ賊軍」。つまり勝てば部下に多数の戦没者を出したトップでも銅像となり、その栄誉は後々まで語り継がれる。負ければトップを主体に戦争責任を負わされ敵国だけでなく同じ国の人たちからもうしろゆびをさされる戦争である。

本当に悲惨な戦争を憎むなら、戦闘員どうしだけでなく、子供をふくむ「人間健康で働けるくらい幸せなことはない」と言う一般民衆まで巻きぞえにしてしまう戦争の原因をとことん追究してみよう。

歴史を省みたとき、有史から続く難題である戦争を引きおこす一因は、政治・経済と密接な関係にあることは明白である。

一九二九年、ニューヨークの株式市場の株価の大暴落が世界恐慌を引きおこした。それが原因で太平洋戦争中からすでに核、つまり全生物を焼き殺す兵器をもった大国であった資本主義のアメリカと社会主義の旧ソ連の睨み合いははじまっていたという。そしてこの時こそ、現在の武装平和[注6]の先駆けといっても過言ではない。

一九四五年、日本はポツダム宣言を受けいれ、連合国側に無条件降伏をした。八月末に連合国最高司令官マッカーサーが厚木に到着。東京にGHQ、つまり連合国総司令部を置き、占領政策をはじめる。九月二日には、東京湾に来航したミズーリ号上で、降伏の調印が行われ、長かった戦争は終わり、日本は新しい国家を目指して出発した。

一九五〇年六月二十五日、北緯三十八度線をはさみ米・ソの代理戦争といえる朝鮮戦争が勃発する。皮肉にもその特需に授かり敗戦の痛手から復興を果たした日本は、それをステップに神武景気と呼ばれる好景気が訪れ、以後二〇年に及ぶ高度経済成長期に突入していく。

一九五一年九月八日、サンフランシスコで、日本は四十八カ国との単独講和条約[注7]に調印する。同時に、日米安全保障条約が結ばれた。つまり国境があるというだけでアメリカと日本は事実上一身同体になったのである。これはそのときの日本の首脳陣の判断力が的確であったのだと思う。結果的に、戦勝国による国土の植民地分断を免れ対戦国との損害賠償問題もうやむやとなる。ちなみに、一九八五年にソ連共産党書記長ゴルバチョフのもとでペレストロイカ、つまり改革が進展し、米ソ間で中距離核兵器全廃条約が結ばれた。一九八九年、東欧改革が起きると十一月にはベルリンの壁が崩壊、十二月のアメリカのブッシュ大統領とゴルバチョフ書記長のマルタ会談でついに「冷戦終結宣言」が出される。一九九〇年の東西ドイツの統一、一九九一年ソ連邦解体と共産主義が退場した。世界は一九九二年から始まったユーゴ内戦のように民族紛争が前面に出る段階へと移っていく。

人種がちがっても、目があり鼻があり口があり、泣いたり笑ったり怒ったり冗談も言ったり、やきもちもやくなど同じ人間である各国の首脳は、先進国とか発展途上国などのランクをつけずに、オリンピック同様友好の輪を保つこと。そして全世界一国残らず、各国の首脳は年に一回の会合を授け、それに出席し連絡をとりあうことが肝要といえよう。さらに各国共、文化・言葉・歴史・生活習慣、その他諸々のちがいを克服するべく、国と国との協調の精神を培うことを肝に命じ、それを次世代を背負って立つ若者たちに教え育んでいくことを共通の課題とすること。

「色と欲のシャバ」という言葉があるが、深く考えた時いき当たるところはそれしかない。色つまり男と女がいて子供が生まれるから必要に応じて家がありたんぼがあり畑があり道路があり橋があり車があり電気製品があり船がありり新幹線がありジェット機などがあるのである。欲があるからもっと良いものはないかと追求して世の中は進歩する。しかしそれと裏腹に人間には、悪い欲も存在するので、戦争も悪い事もするのである。これは偏見かもしれないがそのような見方をする人もいる。

仮に、世界の国々が日本より力が弱いとする。国防というのが曲者でそれをかくれみのに軍人手帳を振り回すなど、土足で部屋へ入られても弁護士でも文句ひとつ言えないやりたい放題の無人権、そして無法地帯に陥ることは容易に洞察できる。ほとんどの国民が軍部の言うことやすることは何でも正しい。弱者救済なんて金をくれても嫌なはず。「隙あらば討つ」という領土欲に目がくらんだ一部の狡猾な政財界に、一九四六年十一月三日に制定された憲法第九条とか「持たず、造らず、持ち込ませず」の非核三原則などあってないようなグレーゾーン。卑怯もルールもない。

順序を踏まず自分の都合のいいように法律を作りかえ要するに勝てばいい的に日本は又自衛隊をもとの日本軍に改名。核兵器をちらつかせ「憎まれっ子世にはばかる」。たとえば各国の医師会に対して「伝染病以外の病気は診るな」。人間の体調と密接に関係している医療面から圧力をかけるなどこれでも人間かと疑われても仕方がない汚いやり方で、本能がおもむくまま縦横無尽に最初から敗けることになっている世界各国に対し略奪をくりかえしはじめるだろう。そのような大衆の目のまえで繰り広げられるでたらめな所業に対して関わりあいになりたくない道ゆく人々は、見て見ぬふりで通りすぎてゆく。作戦が裏目に出て惨敗、命からがら帰ってきた軍装にわざと草などでカムフラージュさせている部下たちにチームワークの執り方のうまさと戦闘テクニックの巧みさは天才的と言える上官は「敗けたかよしよし今度は勝てよ」と激励。鋭気を養い再度決戦に挑む戦をするしないは、政府与党が決める。そりが合う合わないにかかわらず全体主義に服従しなければならない。まるで朝廷が時の覇者に征夷大将軍の位と警察権をあたえ、人に人を「さま」と呼ばせ怒らせれば「切り捨て御免」のちょんまげ社会のシステムと全く変わっておらず、ちっとも平等でも民主的でもないのである。

　全世界各国なにかあったときに備えての災害復旧レスキュー部隊以外、軍隊および核兵器などの武装を放棄し二度と持たない持たせない。

軍隊および核兵器を国連軍に持たせ、世界各地に支部をおき、連絡を密にする。

そうすれば莫大な金がかかり、自然の生態系や人畜に多大な悪影響をおよぼす。敵国が蜂の巣をつつくような事をしたときに備える核実験をくりかえす必要もない。

各国とも、敵国が核を持つなら我が国も相応の兵器をもつ権利があるという戦争がなくなれば、高額な国防費が一切必要でなくなる。そしてその分老人ホームに入居するのも順番待ちという社会福祉に回すことができる。仮に戦争で核兵器を使用することを国際法で禁止するなど、すべての国々が、地面にぶつかって爆発する普通の爆弾とちがい、上空で爆発させるので被害が大きい核兵器をもつことができなくなったとしても、核兵器を発明してしまったものは食い止めようがない。反体制者の手によって核兵器は密造されるし、研究・開発が進み改良されていくはず。人類が苦労して築きあげた繁栄を一瞬で消滅してしまう水素爆弾がいつ落とされるかビクビクしながら生活するなんて、水面はおだやかでも水中は渦（うず）をまいていて泳ぎが達者な人でも落ちれば死ぬ水の中同様、不気味（ぶきみ）ではなかろうか。それに核兵器が無くなり武装平和が解体されれば、またもとの振り出しにもどり核抜きの本格戦争のリスクが発生する。二度と繰りかえしてはならない戦争の惨禍が風化されつつある今日、人類は恒久平和を持続することができるのであろうか。「喉（のど）元（もと）すぎれば熱さを忘れる」二十世紀後半から二十一世紀にかけて新自由主義すなわち国家介入を批判して、個人の自由と責任に基づく競争と市場原理を重視する考えに傾倒しはじめたことも世界を戦乱へと向かわせる一因だと言われている。

　全世界の政治に私が考案した政治体制が浸透し、すべての核が放棄されたとしても、「口ほど便利なものはない」。しゃべりたくない時など臨機応変にチャックすることもできる口で口約束したのにすぎない。口では何とでも言えるから「まだけつが青い」と手の平を返し、ホールドアップしてくるか分からないのが人間の性(さが)。そもそも神さまではない人間が作った巧(たく)みに網をくぐるやからもいる。法律なんて悪い事や粗相をするやからがいるから必要に応じて作られたものだ。正直者だけなら最初から時節と共に変えざるをえない場合もある水もので体を張って国民の大切な生命や身体や財産を守っている反面、立場上憎まれ者になってしまう法の番人の巡査(じゅんさ)も必要としないはず。

それと同様、世界中が完璧な民主主義を目標とし、主義・主張がない無党中立派の総理の下に主義・主張が異なる各党が寄りあってそれぞれの意見を出しあい真理を追究し慎重に審議した上で主義・主張がない無党中立派の総理と副総理が「中庸(ちゅうよう)」の信念の下に総合的に判断し、全体的によりよい政策を進めていく。私が考案した政治体制ならば必然的に戦争は起きるはずがないのであるが、大勢の中には著しく健全ムードをみだす御仁がいるので国連軍を設置せざるをえなくなってしまうと言えよう。

「親の意見となすびの花は千にひとつの無駄もない」とは言っても、人なんて親の言うことは聞かなくても人間に良い心と悪い心があるかぎり人類が発祥した時から撲滅するまで絶対必要不可欠である。私の学校の同級生が就職したとたん別人のように変貌してしまった警察官の言うことすることだけは何でも正しいと思うものである。

各国の国権は、反体制者による核兵器に等しいか、それ以上の秘密兵器の開発・製造・所持などに秩序維持の目を光らせること。

第三章、課題とシステム

私はうしろに目がない。つねれば痛い生身の体の人間どうしが人形をたたくような一方的な暴行ではなく相方が武器をもって殺しあう。そして戦闘中逃げれば味方から「国賊」とののしられ射殺される戦争に行って手や足を失い、帰国してから結婚し、子供がいる人たちと話したことがあった。

日本軍と中国軍が銃剣と青竜刀でたたかう白兵戦【注8】を体験した人とも話したことがある。

「支那人を成敗し手柄をたてる」と勇ましく出陣したが敵は思っていたより強かったとその人は述懐する。

私「刃物で殺し合って怖くなかったですか」

その人「目の前で今話していた戦友たちが切られ血しぶきが上がるのを見ると怖いなんて気持ちはすでになく気ちがいのように銃剣を突いていた」

私「人間って切られると直ぐ死ぬんですか」

その人「直ぐには死なない。まだ生きている。血が完全に出てしまってはじめて死ぬ」

その人は敵もファミリーの元へ持って帰りたいと思っている五体満足のからだを首を長くして待つ日本の家族の元へ持って帰ることができた。ちなみにその人の次男は私と同じ年齢である。

私の父も南方の戦地で真夏の陽気なのに毛布にくるまっても寒くてブルブル震えるというマラリアになったことや、戦友が目の前で何人も戦死した話などをしていた。軍曹まで昇進したという父であるが、フィリピンで終戦となりイギリス軍の捕虜になった。父が戦地から持ち帰り私もキャンプで使わせてもらったことがある飯盒（はんごう）である。収容所で支給される米はほんのわずかであったらしい。収容中みんなが栄養失調になっていく中で何人かの戦友が空腹に耐えきれず、海から毒のカニを捕ってきてそれを食べ死んでいったという。人はだれも助けてくれない。激戦地から父が無事生還していなければ、当然私はこの世にいない。その父が最初入隊したときは、大きなえび、多分伊勢えびを食べさせるなどの歓待をされたという。

対戦国だったアメリカにも、乗っていた戦艦に日本の特攻攻撃をうけ、そのとき両足を切断し今も生きている人がいると聞く。

戦争体験者は一様に、「戦争、戦争でがむしゃらに戦っていたころも辛かったが、原爆に竹やり的な戦争が終ってからも教育がアメリカ式になり世代の断絶が生じたり親の威信が薄らぐなど世の中平和になったので、巷に色んなのが出はじめた。ＧＨＱは悪党だ。一日が終って家で飲むビールだけがこの世の極楽だ」と口をそろえる。

地球に人類が発生したころはそうではなかったがだんだん力のある者が国内を統一し下々(しもじも)をしたがわせる統治権をえるべく、石の投げあいにはじまり血で血を洗う戦(いくさ)にエスカレートしていったものと思われる。たとえば精神的・身体的な欠陥があるなどみんなとの共同生活に支障をきたす人以外は、勝てば勝ったで徴兵(ちょうへい)、つまり一定年齢に達した国民に科される義務であり、召集令状(しょうしゅうれいじょう)がきたとき「殺人をしに行きたくない」とだだをこねれば警察から逮捕された。

そのように勝っても負けても苦しみや悲しみはついてまわる現実。このパターンは各国の民衆にとって共通であり、「死んでから地獄などない。あるとすればここがそうだ」が共感感情だと思う。一国の行政のトップの選出についても、明治以前の武力による争奪戦が選挙戦になっただけで、政治活動のトップを競い、他党を服従させるスタイルは変わらない。この政治のカラクリは万国共通でいずれ全世界を自分の国に吸収合併させ支配下に置きたい願望の表れであるとつくづく思う。

終戦後七二年以上を経過した現在、国が多大な借金を背負ってしまったという日本。暗い世情を反映するように、若い男や女のホームレスもちらほら見かける。そして一部の限られたエリアの人たちだけでなく、医者とか政治家とか会社社長とか学校の先生など社会の重要なポストに携わっている人たちも入所し出所まで二十四時間三百六十五日、囚人ひとりひとりの行動を監視するという刑務所は、わざと触法してせち辛いシャバから逃げ込む者が後を断たず福祉施設化しているという声を耳にする昨今である。平和の時代が進むのに比例して私の学校の同級生にも検事や巡査になった人もいるが「きれいすぎる水では魚は生きられない」。後を断たないストレスがたまる官憲の不祥事や官憲の子弟からも触法者やおちこぼれが出ることがある現実。一般犯罪者は名士の子供貧乏人の子供分けへだてなく雨後の竹の子やボーフラのように限りなくわき治安の悪化傾向は避けられない。「板っこ一枚下は地獄」のこの世。人を踏み台にしてもいいから自分が押しあがれとわが子に世渡りを教育する親もいる。「過保護が歩む悪の道」、それが原因で近年日本国内で突発的に起きる日本人による小規模のテロ級の大量殺人事件により国民が安心して生活できないでいる。日本は結婚相手がいるというのに出征して命を落としたり手や足を失い義手や義足で生きている若者たちがいると聞くアメリカと同じ金がなければ首がないのと同じ資本主義国家。シビアな生存競争についていけず、落伍する人や生きている間は親から授かった頭脳に頼る以外にないのに、ままならないこの世を恨んで自らの命を断つ人が必ず出る。まれに金が儲かりすぎて自殺する人も居るが、それは気が小さいからと聞く。このような現実は触法すればたとえ何さまであろうが病気療養中であろうがまったなし。身柄を拘束される巡査と大ごとが起きた時など、心証の悪いやからに対し、ときには遠まわしにときには露骨にごうごうたる非難の声をあびせる世間が一番よく御存知のはず。

たとえば日本が困っている領土権問題とか、千年に一度の大津波を伴う東関東大震災。未曾有の自然災害が原因で口には出さないが、当事者は相当困っているはずである。商用などで地域社会を離れていて助かったが帰れなくなってしまった人もだいぶいるはずである福島の原発事故による目に見えない匂わない痛くもかゆくも熱くもないのでたちが悪い放射能汚染問題など、いつ起こるか分からない。

そして地域社会の崩壊とか「死ぬまでに一度飛行機に乗ってみたい」と言っていたが海も見れずに七二才で亡くなった私の祖母の時代。二〇才ですでに髪の毛はまっ白。禿ていたという私の祖父と同じ歳の二〇才で結婚したという。明治生まれの私の祖母の時代は女は十五才で嫁いだ話などあたりまえだったと聞く。親の言うことは絶対服従で家族の統制がとれており、子供の喧嘩に親が出た私の父の時代。私の若いころも耳にしたおぼえがない適齢期、つまり二五才前後がくればふつうにやっていればみんな結婚することができた。

たとえば「俺はうちの会社で一番の子沢山だ。十一人も子供を作った」。

そんな人も知ってるし二〇代で離婚・再婚を繰り返した話などざらだった。

何らかの原因で国に歪みが生じた少子高齢化、つまり高齢者ばかりの労働力不足対策。消費税増税問題など単純にこうだと割りきれない複雑な諸問題に対応するために、国民の期待を一身に受け、責任重大なのが国民の貴重な一票で選出された議員さんである。「若いときの苦労は買ってでもしろ」。しなければだめな人間だめな人生で終わってしまいかねない結婚問題と言える。ちなみに昔は親の言うことは絶対服従だったので誰でも結婚することができた。子を生み育てることが最大の仕事と言える女もそうだが家長となり国を背負って立つべき男は特に親とか信頼のできる上司の言うことを素直に耳を傾け大人になること。こういう時はこうする、ああいう時はああするなど、知恵・体力・気力・根性が元々備わっており世知辛いこの世を泳いでいく力量が旺盛で奇特（きとく）な男が昔に比べ少なくなってしまったように感じる昨今の社会情勢である。

「われなべにとじぶた」。少子高齢化の対応策として私の考えとしては異邦人、特に中国人やベトナム人など黄色系と邦人を率先して結婚させることが肝要であると痛感する。トップを競う各党が選挙活動を展開し、選挙の結果、議席数が過半数を取得した政党が与党、つまり国民にとって一番信頼のできる政党となる。さらに与党から選出された総理は、戦前・戦中は国民から現人神（あらひとがみ）とされた天皇陛下とおなじ国民にとって象徴的な存在である反面、利己的に走るリスクも高い。一国の統治権を取得しその栄誉は歴史に刻まれることになっている。「歴史はあとからつくられる」。その時代に生まれ自分の目で見て確かめたわけではないのだから、各分野において一般論と真実がくいちがい、人は誤解を招きかねない。それから職権乱用ということばを耳にすることがある。たとえば大ごとが起きた時などそのどさくさに紛（まぎ）れて弱者がでっち上げられるなど闇から闇へ葬り去られ泣きねいりになってしまっている不平不満は取り上げたらきりがないはずである。「悪い現実を見るな」とごまかしてもそのような悪い現実こそがこの世を形成している屋台骨になっているのが真実ではなかろうか。

トップ争いもすれば独占もすれば縄張り本能ももちあわせている。霞を食って生きていけない弱肉強食的な体質[注9]は、それぞれ個々の性格が異なる人間も動物も同じといえよう。

共通して言えることは、世界各国の政治も、「トラブルよりも教わったほうが利口。知っているのは人だから」。他党を敵視して自国の政治のトップをめざすスタイルであるかぎり、国と国との喧嘩である戦争が避けられないのは常識のスケールと照らしあわせて考えてみても分るはず。

「風に揺れている考える葦」である人間は、動物の世界と同じであっていいのであろうか。

では日本、そして世界各国の政治の現体制を私たちが学校で学んだ数直線と照らし合わせて考えてみよう。まず数直線上の0を主義・主張がない総理と仮定する。さらに0を中心としプラス方向マイナス方向それぞれ永遠に続く異なる数字を主義・主張がちがう各党と仮定するのである。[注10]各党平等に話しあって真理を求める政治体制で審議したとする。「寒い寒いと言っても暖かくならない」。今までいくら反戦歌をがなっても、核廃絶と力んでもフランスの反戦映画「禁じられた遊び」を観ても、「馬耳東風」。撲滅不可能だった殺生が嫌いで魚釣りさえできない国民にも人殺しをさせる戦争。

そして死刑制度やあととりにぬけ作が生まれないとは限らない世襲制などの時代の遺物的な因習とか。がん細胞のように連なって人類を苦しめていた良い性格の人も悪くしてしまう悪循環が、一時の気休めではなく根絶される。

さらに弱肉強食の死活問題と裏腹になっている一頭の動物、一匹の虫、一本の樹木、一羽の鳥、一匹の魚の生命も業火にしてはならない道徳の問題。

そして弱い者を擁護すべき人権の問題も闇があけ明るい道へとつながることにお気づきと思う。

たとえば近年のアメリカ、そして日本の一国・一党のトップに対する、一連のテロリズムである。テロリストが行為を引きおこす一因は、なんで主義・主張がちがう他党に服従しなければならないんだという確執がバックボーンになっている。そして「天網かいかいそにして漏らさず」。国民の信頼を著しく損ねる、自分の立場を悪用したトップの犯罪。たとえば日本で起こり、一九八三年十月十二日に判決がくだったロッキード事件。お隣りの韓国では前大統領が、政治家なのか政治屋なのか疑われても仕方がない多額のわいろを受け取るなど、十六件の罪で二〇一八年四月六日に判決を受けている。その前後でも韓国の歴代の大統領三人が、同様の事案で判決を受けるなど、世界共通の従来の政治のカラクリではこのように政りごとのトップがボロを出し赤恥をかきかねない。

私が考えた政治体制ならば、気をつけていなければトップの立場をいいように利用されるかわからない大統領も総理も国王も、各分野から批判をあびたり起きるたび防弾・防刃チョッキの着用を義務づけるべきだと思うテロリズムの恐怖におびえながら政治活動をすることもなくなるはずである。核兵器なんて戦争で使用される強力なひとつの武器にすぎない。原爆を発明した人間の知恵は将来的に「核兵器なんてもう時代おくれだよ」となるのは目にみえている。「臭いものは元から断たなければだめ」。元凶となる戦争がおきる原因をつきとめ、たて社会に右へならえになってしまっている現状を是正しないかぎり、世は改まらないのは犬が西向きゃ尾は東。つまり上の行動に追従するのが民衆一般の心理ならば、上がなまじっかな付け焼刃でなく完璧に民主化すれば、自然と厳正さが下々(しもじも)にまでいきわたるのが道理、すなわちすじみちなのではなかろうか。その作業を進めていたとき、戦争と折り重なるように同居し人類のがんになっていた多くの病巣(びょうそう)を発見し、戦争と共に縁(えん)

切れにすることができたのである。

第四章、選挙改善と信念

二〇一二年十二月十六日の衆議院選挙をふりかえったとき、ある党の圧勝に終ったが、投票率は過去最悪の結果であった。重大な国の運営を握る政治家選びは、全有権者から選出されなければならないはず。

「比例代表も小選挙区も力の強いところにはかなわない」と言う国民もいる国政選挙は全有権者に義務づけること。仕事で忙しかったり、選挙に行くのがおっくうな人たちに対しては、何らかの方法で簡単に対応できるハイテク投票を考案するなど、若年層・壮年層・高齢者それぞれ考え方も受けた教育も支持する政党も異なるが選挙だけは必ず投票するように法制化するべきと思う。日本国民の支持率が平均して高い政党がある。自由で国民が生き生きとして活気と日本独特の情緒に満ちあふれている一面もある。みんながみんな金持ちになり世襲を永続するためには、「人間の体くらい複雑にできているものはない」国民ひとりひとりの大切な命を縮めるような無理をしたり、「他人の不幸は蜜の味」というような陰湿な足の引きあいをしなければならない。そしてそれが日本を先進諸国の技能や経済と肩をならべる原動力となってきた。客観的に見たとき、自分を、そして家族を犠牲にしてまで国のため家のためにつくし納得のいかないこと矛盾（むじゅん）することに盲従させられてきている弱者を裏街道に追いやるなんてナンセンスではなかろうか。古今東西どの政党にも一長一短ある現実。何ごとも最初から分かるわけがないとおもう。

「頭は生きているうちに使え。死んでからは使えない」何ごともその要領だ。頭を使う癖をつけておかないとものごとの進行に穴があくなど人に迷惑もかかるしミスばかりして、自分も損することが多い。みんなが悪知恵をはたらかせてたち回ろうとするからせち辛くなってしまうのだろうが、悪人を輩出する社会システムは輪をかけたように悪い。たとえば上どうしが「なあなあ」の飲み友だちになっているなど、腐敗した社会のカラクリを基本的に悔い改め、医者・坊主・教員など教育者が将来ある若者たちに啓蒙しないかぎり、よりよい社会展望は見い出せないのである。

苦労して政権を握ったのに部下の明智光秀に裏切られあっけなく一命を落としたキリシタン大名の織田信長。外交に適応した土地条件の大阪を拠点にアジア進出を企てたが、年齢には勝てず「なにわのことは夢のまた夢」と辞世の句を残し世を去った豊臣秀吉。二人共外交的なお人柄だった。天下分け目の関ヶ原の合戦で勝利し政権を奪取。長く続いた血で血を洗う戦に歯止めをかけたが自己中心的な鎖国政策の影響で後世のわれわれが多大な迷惑を被っている徳川政権。近世から現代にかけてれんめんと続いている世界共通の専制政治、つまり主義・主張のある者が行政権を自力でもぎ取り独占するパターンを根絶。すぐ実践すべき人類の羅針盤に気がついたのも、今まで社会の歪みの犠牲になった要人や数えきれない民衆の血と涙の訴えが礎になっていることを心置きねがいたい。

時代が進むのにしたがい、改正せざるをえない憲法を改正するなど、各党が集って協議をおこなうこと。古い人たちはそれはそれでいい。又新しい人たちもそれはそれでいい。われわれ時代の変り目、つまり新旧の折衝のはげしい激動の時節がら、完璧な民主主義を目標とし主義・主張がない無党中立派の総理の下に同じ党内の人たちでも主義・主張が微妙に異なる。各党が寄りあってそれぞれの意見を出しあい慎重に協議の上、主義・主張がない無党中立派の総理と副総理が「中庸」の信念の下に総合的に判断する政治体制を一日も早く連帯している全世界から採択されることを願ってやまない。

なにびとも自分本人だけが悪いのではない。戦前・戦後の動乱の現代社会に揉まれに揉まれそうなってしまう。さまざまな事件・事故などの後片づけをさせられ、ケースバイケース国民ひとりひとりの根拠を後片づけしたことだけは熟知している。そして国民にとって大ごとが起きた時など頼らざるをえない、元々一般庶民が志願してなったのが巡査である。体を張って対応する凶悪な事件・事故・選挙違反さらに突然起こる難解な未解決事件や冤罪事件も減少。弁護士をはじめ誰もが納得がいく、秩序正しい統制がとれた警察活動に転化するだろう。

市場経済を導入した社会主義体制の国中国や、社会主義体制の国北朝鮮である。

第一次世界大戦・第二次世界大戦と日本から侵略をうけ、未だに日本を目の敵にしている人たちがいることは、「自分のことは自分がいちばんよく知っている」日本人が百も承知のはず。戦後は軍隊を強化し、核を持つなど力をつけてきている。

ロシアや中国や韓国や北朝鮮との緊迫した領土権問題を抱えている日本。どこかの強い国にもたれていなければ、それらの強国に侵略されかねない油断もすきもあったものではないのが実情といえよう。

世界に追いつけ追いこせの明治開国以来、日清戦争・日露戦争と勝ち進んできた資源にも植民地にも乏しい後発国の日本である。一九四〇年九月二十七日、ドイツやイタリアと同盟を結び、アジアやアメリカを植民地にするべく戦争を仕掛け、勝敗に関係なく、取り返しのつかない戦争犯罪を犯してしまった。

戦争に巻き込まれた対戦国の人々に対し、相手の身になって謙虚な気持ちで反省することである。

仮にアメリカと北朝鮮が戦(いくさ)になった場合、地図で見ると韓国と中国に挟まれた日本の北海道と同じくらいの国土の北朝鮮である。アメリカが日本の広島と長崎に落とした原爆である。あれだけの大爆発を起こしたにもかかわらず使用されたウランの量はマッチ箱ひとつ分と聞く。その原爆の一千倍の威力をもつという水爆を北朝鮮に「はいどうぞ」とごちそうしたとすれば、北朝鮮はあとかたもなく消滅。お隣りの韓国や中国にまで子や孫に食べさせたくない死の灰をまきちらす結果になることは子供でも分かる話。蜂の巣をつつかれた広大な国土と人口。そして核兵器を持つのにふだんはえへらえへらと頭が低いメンツ丸つぶれの中国は、「これは戦争行為だ」とアメリカに弓を引かざるをえなくなる。

横目で事(こと)のなりゆきをうかがっていた中国や北朝鮮と同じ社会主義国で日本の北方四島を返却するどころか隙(すき)あらば日本全土を取ってしまいたいと考えているはずのロシアは、形勢を見て中国に加勢するだろう。つまりアメリカや日本や韓国をはじめとする自由主義陣営と、ロシアや中国や北朝鮮の社会主義陣営との地球上での最終決着といえる第三次世界大戦を引きおこす導火線と言えよう。

ボタン戦争が終わった後、戦争の愚かさ悲惨さが骨のずいまで身にしみた生き残ったわずかな人類が再出発するべく立ち上がったとする。今までどおりの権力を主体とした戦争を誘発するリスクが高い政治体制を選ぶであろうか。それとも私の考えた政治体制を選ぶであろうか。精神的な面でも古代中国の思想家、孔子(こうし)の教え。

儒教の中の論語にある「中庸(ちゅうよう)」の二文字。人によって色々な受けとり方があるが私は何ごともほどほどに。特別良いことも悪いこともないがそれが一番無難な道と受けとるその精神も、社会にとって必要不可欠なことがらである。特に将来、山になるか海になるか分からない若年層がいかなる横車(よこぐるま)、つまりジャマにもブレない軽快なフットワーク。そして曲がりなりにも貫きとおす信念として持つべきであることを教え育んでいくべき道しるべといえよう。

「大阪がどうの名古屋がどうのとなんだかんだ言っても東京さ。東京にやかなわない」。主都圏に集まる人口はおよそ三五〇〇万人にまで膨れ上がってしまった。日本のような小さな島国で、猫も杓子も「幸せはないか」と町に集中するから、それと反比例するように田舎の過疎は深刻化するのである。

　歴史をふり返った時、武力で政権を奪い取った時の覇者がここを日の本の首都と決めるパターンが続いている。以来日本各地のそのまわりに家や税金のむだ使い的な施設が増え自然環境が破壊されるだけでなく発展する反面各所に多様な支障をおよぼす主都は転々と変ってきている。血液を逆流する健康運動の逆立ちのように定期的に首都機能を移転すること。その方が二〇二〇年の東京オリンピックの年の四月から施行される移民法[注11]により変り始めると聞く日本列島の活性化につながるのではなかろうか。

　つまり今は古い時代から新しい時代に変わろうとしている重大な過渡期と言えよう。なまじ敗戦で沖縄と北方四島をとられただけで運よく国土を分断されずにすんだ。平和ボケが進行し、明治以前からの封建的な思考が頭をもたげのさばり始めた感がなくもない日本である。これからは日本も黒船来航の再来のように黒人の警察官が出たり黒人の政治家が出たり白人のバスの運転手等が出はじめるのである。そして古くさいことを言っていれば「世間広いようで狭い」日本もイタリアのようにイタリア人が移民に追い出されほえづらをかく二の舞を演じかねない。頭の切りかえが大事ではなかろうか。過疎化対策や差別の是正問題なども含めてこれからは月へ探索ロケットを飛ばすなど宇宙開発も盛んな中国の北京を首都とするべく、黄色民族一国をじっくり腰をすえて建設していくべきであるとつくづく思う。これは白人や黒人になれるわけがない黄色民族をひとつの国に致しましょうという試みだから首都は北京に限らずアジア圏内ならみんなの意見が一致したところでよいということである。なお言葉が通じないくらい不便なものはないので、黄色民族同士の元々大陸から渡ってきた文字や言語や通貨の統一に真剣に取り組むのも重大な課題のひとつである。すなわち黄色民族はアジア圏内なら自分の住みたいところで住むことができるということである。

昔は十年ひと昔と言われたが、今は三年ひと昔と言われ、皆に付いていくのに急がしいほどの忙しい御時勢。あと百年もすればいったいどんな世に変貌しているのかまったく洞察できない。目を見張るような文化の発展をとげたがそれに付随するように公害や温暖化のような弊害も随所で発生する地球を私は人類の締まりのない平和の楽園にするつもりはもうとうない。

「無理がとおれば道理がひっこむ」

人間は少しでも快適な生活をしたいから木を切り家を建てる。しかし人間だけのために地球は回っているのではないのである。土地分譲や一戸建てを規制し、マンションの防音をさらに研究開発するべくイギリスに比べ山が多い国土の深刻な日本の住宅難である。もっと本腰を入れて対応するなど自然環境破壊をほどほどにしておかないと、生態系が崩れ近年の温暖化や豪雨災害の原因となることは最初から分かっていた。

悩みのない人などひとりもいない。強弱合わせもっている人類であるが、活気と情緒に満ちあふれるには、たとえばぜいたくは敵とか知足を美徳とするなど、あるていど厳しさもなければならないと痛感する。たまには俗世のみみっちい利害や損得にほんろうされスッタモンダむなしい戦争をくり返す人間社会の現実からはなれ、果てしない大空を見あげてみよう。四方八方行けども行けども地球と同じ球状の大小無数の星があるだけで果てがしれない宇宙空間。そして現在・過去・未来いったいどこから来てどこへ行くのか無限の時間の流れ。不思議ではなかろうか。

第五章、ヒューマニティーと社会展望

二〇一四年四月十六日、修学旅行の高校生を乗せたお隣りの韓国の旅客船セウル号が、観梅島沖海上で沈没事故をおこしたニュースはまだ記憶にあたらしい。

高校生など、合計四百七十六名中生存した者百七十二名、死者二百八十八名、行方不明者十六名を出した大惨事だった。そのときの日本政府は「気の毒で見てられない。救助に協力させてほしい」と一言申し入れるだけでも、申し入れることができなかった。そのようなちょっとした心遣いや思いやりが、相手国にとって非常にありがたく誠意が通じるものだが、差別の根が見えかくれしている万人の納得がいかない対応といえよう。自分の良心がとがめるような事をしても、自分が苦しむだけではなかろうか。

二〇一七年一月には、韓国の日本領事館前や韓国々内各所に年端もいかない少女像を六十体前後置いて、日本に「そういうことをする奴こそ差別されるべき人間だ」と同じ日本人がやったとは思いたくない悪いことに対する反省をうながした従軍慰安婦問題。親は自分がひどい目にあうとそれと同じことをわが子にだけはあわせたくないと思うものである。

そして「人を責めるな、自分を責めろ」。一五九二年から一五九八年までの豊臣秀吉の朝鮮侵略で大勢の朝鮮人の男女を日本に拉致。日本各地に置いて日本人の嫌がる仕事に就かせ、それまで差別されていた日本人と混血させる。四百年以上たった現在も差別されている人たちの中にも立派な人はいるというのに、多岐にわたりいわれなき差別がある。たとえば日本人と被差別者が惚れあったカップルが居たとする。結婚したとして親・兄弟・親戚から縁を切られ本人同士だけでなく子孫末孫の末裔（まつえい）まで同類視（どうるいし）され老若男女ともに陰でとげのある差別用語など辛酸をなめさせられ続けている現実に対する当てこすりともとれる。一九七〇年代からおきている日本人を北朝鮮に連れさる不可思議（ふかしぎ）で深刻な拉致（らち）問題である。「二度あることは三度ある」ともいわれる。

日本が真珠湾に奇襲攻撃した報復と旧ソ連に対する威嚇（いかく）といわれる広島と長崎に人道上使用してはならない特殊爆弾、原爆を投下された世界唯一の被爆国である日本は、特に反戦に対し真剣に取りくむべき使命を再認識するべきではなかろうか。ヨーロッパと地続きであり、元どおりの高麗（こうらい）一国の実現が望まれる朝鮮半島の人たちと日本は、歴史的に良きにつけ悪しきにつけ問題が絶えない間柄といえよう。ちなみに邦人が異邦人に対しだれかれおかまいなくでなく話すことができない犬や猫などの動物たちでも、「以心伝心」。人を見ると言われる【注12】が、人を見たり相手国を見て干渉するなど外国人からみれば不思議におもう国民性である。「それは島国根性つまり都会に住んでると気をつけていないとそうなってしまう人もいる怖い病気だけでなく二百二十一年間つづいた鎖国によるおくれにも一因がある」と言った人がいた。そのような日本古来の保守的な風習や閉鎖的な言動も、近年多くの諸外国の人たちが観光や仕事などで来日したり日本人も観光などで年間平均千六百六十六万人もの人たちが海外を訪れているので、国際感覚にうとい日本人の頑固な海外音痴は薄らいできていると聞く。頭にえせと付けることもある同和のようなイデオロギーの問題解決の糸口も、そんなところにあるのかもしれない。デマや中傷ややらせや皮肉報道が飛び交ってもそれに惑わされない強い意志と決断力で諸事に対応していくべきであるとつくづく思う。「貧乏人は麦を食え」、格差が資本主義の汚点であることは、誰もが承知の現実である。「三つ子の魂百までも」あととりの顔を見ただけでこれから先の長い人生をちゃんと世間並みに生きていける甲斐性があるなしを見ぬけないようでは、本当に人を見れると言えるのだろうか。つまりその時からすでに陰湿な足の引きあいは始まっているのである。親が苦労してひと身上のこしてくれても「金は天下のまわりもの」、なにかのつけが回ってくるなどその浮き沈みのはげしさは尋常ではない。最初はみんな血の通ったまともな人間だったと聞く。落ちこぼれれば本人の人生はもとよりどういうわけか知らないが必ずといっていいほどまじめにやっている親・兄弟・親戚など身内に大なり小なりのとばっちりがいく。親は悪くてもおなかをすかせて親の帰りを待つ子に罪はないアウトローを生み出す格差と差別が生じる政治体制を改革したときはじめて平等であり民主的といえよう。

気が弱い落ちこぼれを生み出す大きな原因であった格差や差別である。各党の話し合いによって少しでも格差や差別がなくなり金持ちと貧乏の差が縮まれば雪が溶けるようにだんだんと社会は明るくなっていくと思う。「悔い改められた罪ほど美しいものはない」収容者の中には学年にひとり入れるか否かという高レベルの大学を出た人も居るという刑務所を出てから、どこへも寄らずまっすぐ生まれ故郷に帰った。実家の畑で農業をやったり漁業をやっている全身入れ墨を入れて自分を僕と呼んでいる人たちと話したこともある。終戦後七十二年間の長く続いた政党をトータルしたとき、一番長く続いた政党こそがその国の風土や文化や国民性と一番マッチしているものと今まではみていたと思う。私が口を酸っぱくして解説してることに対し「言われることはよく分かる。本当はそうじゃなきゃいけないが現段階ではなかなかそこにもっていくことは難しい」と先延ばしにするなら、近年世界各地でおきている極地戦争【注13】が又おきる。

人命ほど尊いものはないこの世で、子供を含む罪のない民衆が「同情は禁物」とばかりに平気で寝首をかかれる。

新聞やテレビでの報道では二〇一五年十月十日に、トルコの首都アンカラで発生したテロに巻きこまれ百三人が死亡した。同年十一月十三日、パリでテロが発生。死傷者四百八十人、フランス史上最悪の犠牲者をだした。共にIS、つまりイスラム過激派組織の犯行といわれる。キリスト教や仏教と比較して、信者に対し「これは聖戦、つまり国家が目的達成のため行なう正当な行為です」と洗脳する神職に盲従せざるをえなかった土壌。たとえば人ばかり多いだけで何もない砂漠地帯が発祥当初から存在するなどややっこしい諸問題が横たわっているものと思われる。

どの宗教を信心するのも本人の自由ではあるが、相手の立場とか世界全体を考えて臨機応変に行動しないと攪乱(かくらん)してしまうのは当然の帰結。グローバル化している深刻なISのテロ問題なども、国連をはじめ関係各国が私の考えた政治体制ならば適切な対応策が打ち出されるものと確信する。

宗教は心の問題であり立法府である政治と混同できないはず。それに日本でもサリンという毒ガスを使用するなど何人かの人たちを殺傷し、二〇一八年首謀者十三人が刑場の露(つゆ)と消えたある宗教団体もそうだが、いかなる理由があろうとも人を殺めてもいいなんて説く神さまはいない。

第二次世界大戦中ナチスドイツにより一九四〇年に造られ一九四五年に開放されたアウシュビッツ収容所に例をみると、五年間でユダヤ人を中心に百五十万人以上の人々が惨殺されたという。人種のるつぼアメリカや日本の資本主義つまり権力が社会主義的考え方や合理的な考え方の者に対し「他の者はみんな権力にシッポを振っているのになんで怒らせるんだ。その考え方はいいが国が弱体化する。俺たちは長年の経験を元にものを言ってるんだ」。敵の戦術を研究しそれを逆手にとって権力の傘をきるなど弾圧を加えてきた。その苦しみに対し「世の中こうじゃなきゃいけない」という気骨でそれらのその人間その人間に適応した圧力やいやがらせを乗り越えてきているが、ファシズムつまり独裁的政治スタイルは、アウシュビッツ収容所で惨殺されたむくろを積みあげたとしたらちょっとした山になり、そのような想像を絶する惨劇を再び招きかねない。恐ろしさを知るべきである。

国民社会主義ドイツ労働者党の指導者アドルフ・ヒットラーだけでなく、カリスマ性に富んだ有力者が政治のトップレベルに君臨した場合、なかなかそのポジションを退かないし退こうとしない。そしていくら見栄を張ってもきれいごとを並べても、その政治内容は人前で冗談も言えないかたっ苦しい征夷大将軍と同じ独裁的以外のなにものでもないと言えよう。

もうこれ以上、いつ自分の身にも降りかかるか分からない極地戦争に子供を含む民衆が巻き込まれるのを気の毒で見ていられないのは私だけであろうか。

核保有国同士が威嚇しあっているので、本格ボタン戦争がおきないでいる。こつぶでもピリリと辛い山椒の実のようにコンパクト化し、威力も増大した軍事上のかけひきにも利用されかねない核兵器である。そんなものを全世界の国々が装備したとしたら戦争どころか小競りあいひとつおきないだろう。

人類はいつ第三次世界大戦が勃発するか分からないといわれている現在、一時の気休め的な武装平和で満足していていいのであろうか。

ロシアや中国は昔からの社会主義国であるが資本主義国と第三次世界大戦の勃発が危ぶまれるほどの揺らぎない強大国に成長している現実。「為せば成る為さねば成らぬ何事も。為さぬは人も成せぬなりけり」。ロシアや中国と同じ日本の社会主義や合理主義である。もう一度一に戻ってロシアや中国を参考にするなどさらに研究を重ねることによって、予想をはるかに卓越した頑健なものに成長しかねない素質を秘めているものと思われる。どこの政党が政権を握っても政治展開はそんなに変わらないとみんな口をそろえる。全世界の人たちの目は東アジアの大陸に住む人々も大洋上の島国である日の本に住む大和民族も同じ黄色民族と見ているのである。今こそ日本国民が一丸となって世界にお手本をしめすごとく、完璧な民主主義をめざす私の考えた政治スタイルにゆっくり早く切りかえる。一部の人たちがやっている特別な職業ではなく、誰が見てもはっきり分かりやすい。誰の意見もはっきり聞き分ける。公明正大でなければならない政治である。栄えある未来に向かって羽ばたく次世代にバトンを渡すべき時期にさしかかっているものと推察する。

結論

日本の国技である相撲や柔道は、すでに日本だけのものではない。

ヨーロッパも一九九三年にＥＵつまりヨーロッパ連合となり、一九九九年から共通通貨もユーロが導入されている。

これからは、そこに生えたら朽ち果てるまでその場所を移動しない植物たちとちがい、刻一刻と移り変る世界情勢に歩調を合わせるように心がけること。暗黙の了解になっており誰に聞いても口がさけても言わない人種差別の問題の対応も含めて、戦争によって生じた日本とアジア各国との不可逆的関係改善に向けビジョンを東アジア共同体構想【注14】に設定。厳守するべき国際法に基づき、目的達成をめざし、全国民が努力精進していくべきではなかろうか。

現在世界は核戦争の危機に直面している現実。この難局を打開し核戦争を未然に防ぎ人々を安心させるにはどうすればいいだろう。まず日本の政権を握っている総理が、実質的に日本の上であり世界最強の軍事力を誇るアメリカの大統領に私が考案した政治体制の概要を早めに報告して賛否をうながすことである。さらに核兵器禁止条約に賛同しない全核保有国の首脳にも、私が考案した政治体制の概要を報告して評価をうながす。核保有国それぞれの賛同をえたならば、二〇一七年十二月十日にノーベル平和賞を受賞したオーストラリアの国際NGOのスローガンである核兵器廃絶キャンペーンすなわち「核兵器は一切だめです」という法律の実践を核保有国それぞれに働きかける。つまり核保有国サミットである。全核保有国の合意が得られた時点で早めに強力な国連軍を設置する一方、それぞれの持つナショナリズムを放棄し、私の考えた政治体制に方針を固めた関係各国はいっせいに持っている核兵器を包み隠さず放棄すること。核兵器や化学兵器を放棄しようとしない国が出た場合の対応策は、合法的に核兵器等をもつことと、それを使用することができる本部の指令中心に行動する国連軍に一任する。そして身勝手を容認すれば統制がとれなくなり正常な軍隊活動ができなくなってしまうことを理由に二十四時間態勢でやることなすこと監視したり要所要所で待ち伏せするなど長いスタンスで様子をうかがうことである。私の人生経験とか勉学したこととか人から聞いた話などを統計して、自分なりに研究した正政安(しょうせいあん)民論(みんろん)【注15】である。木造建築でいえば建て前を発案しアドバイスしたようなもの。あとの細かな造作は「もちはもち屋」。政治のことは政治家が一番よく承知している。

人類に「かまどの灰まで、俺の物だ」という強い欲望があるかぎり戦争も社会悪もなくならない。

だが、どこか一箇所を配置がえをした結果、たまたま運良く平和の時代に生まれただけで誰もが避けられないものと諦めていた戦争を撲滅。「浜の真砂はつきるとも世に盗人の種はつきまじ」。警察がいなければぶっそうで庶民の生活が成りたたない警察国家を根本的に立て直す。さらに孟子が唱えた性善説、荀子が唱えた性悪説の概念に対し、改めて真意を問い正す政治体制であることが学問的に証明された。今までは私の同級生もすでに交通事故や病気などで何人かが亡くなっている。各高等学校にスクールカラーがあるように、その国その国の政治体制にもそれぞれカラーがあった。そういった因習を悔い改め、完璧な民主主義を目標とし、主義・主張がない無党中立派の総理の下、主義・主張が異なる各党が寄りあってそれぞれの意見を出しあい慎重に審議した上で、主義・主張がない無党中立派の総理と副総理が「中庸」の信念の下に総合的に判断。全体をよりよい政策に進めていく新しい政治体制に統一したら、一事が万事おばんざいに。

たとえば「志を果たすまでは帰らない」と言った野口英世博士が毒ヘビ

の血清を発明したことによって全地球の人々が安心して生活することができるようになれたのと同様、戦争などが起こらない民衆が安心して生活することができる社会にチェンジできることが理解できたと思う。

激動の幕末を顧みた時、いかなる権力つまり十人のうち八・九人がやっているふつうの行動で、きかんぼうに対しては最終的には「殴って分かるのは子供ぐらいのもの」というように暴力で分らせることになっているも、次々とおしよせる時代の嵐には逆らえなかった史実。ちなみに幕末の志士坂本龍馬は徳川政権を朝廷、つまり天皇に奉還し開国。諸外国と外交して新しい日本の政治を願望した。現在の日本の政治の基盤を築いてくれた偉大な先達の意志、そして自己の心身を犠牲にしてまで後代に残してくれた功績を礎に、古いことでも良いものはどしどし取り入れるなど政治を新しく変えるのである。「太平洋戦争は日本があまりに範囲を広げすぎたことも敗因のひとつだ。今度戦争やったら人類はおしまいだ。戦争はもう起きない」と父も言っていたし、おそらくほとんどの人たちは戦争はもう起きないというイメージを持っているのではと思う。人体に潜伏している病原菌同様、まだ終わっていないと言われるエスカレートすれば人類を滅亡に追いやる戦争。それと連立するように病巣になっていた諸々の苦しみから民衆を救いだし、社会を平和と繁栄に導く標榜である。人類が歩んできた真っ暗闇だった道筋に一条の明かりを灯し続ける一案であることを心から渇望して止まない。

参考文献

注1　非現実的だからこそ改革なのである、私が発案し実現を望む議席の見取り図。総理と副総理は無党中立派の立候補者から国民の直接投票によって選出する。議会に出席する各党の員数はたとえば○名と同一にする。政党数を一定に定めた衆参両院選挙による選挙員数は

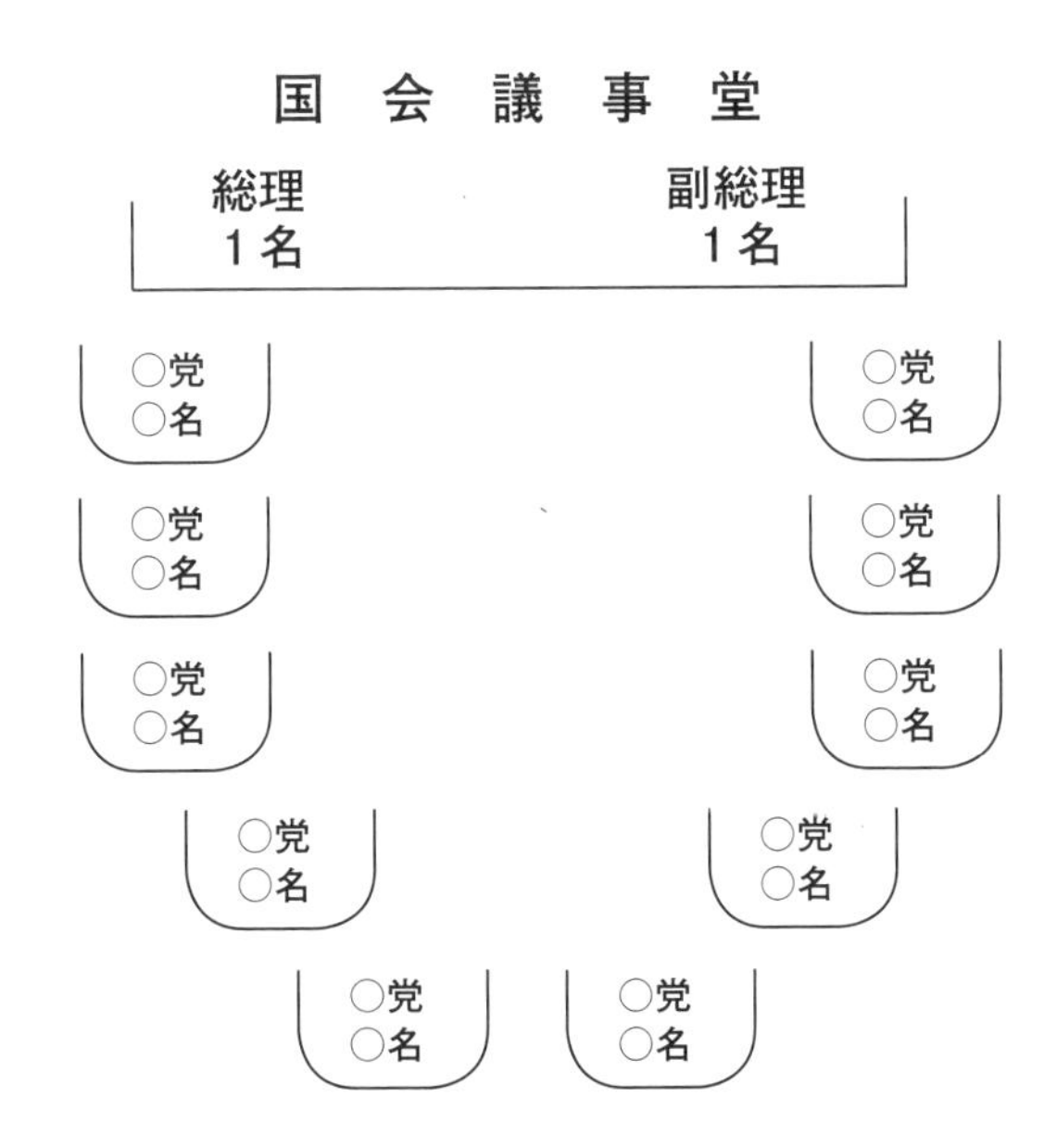

各党同一にする。各政党はマンネリ防止のため○年に一回律動的に一新する。

注2　無党中立派の議員
総理と副総理にしかなれないポジションで総理の任期も限られている。

注3　自分で自分の首をしめる
将棋で一手一手先を読む単純なものと知恵が回らない落とし穴になっているややっこしいものとがある。ややっこしいことの方が多いのがこの世の現実。

注4　資本主義
財産は個人のもので、個人の自由な利益追求が社会を栄えさせるという考え方。

注5　社会主義
生産手段を共有し、生産物や富を公平に分け、階級や貧富の差をなく

す考え方。

注6　武装平和
核と核とが威嚇しあっているので平和が保たれているだけで、戦争がおきる原理は変わらない。

注7　単独講和条約
単独講和条約と全面講和条約がある。全面を選べば日本は戦争責任を負い植民地分断されていた。

注8　白兵戦
敵対する相方の軍隊が横一直戦で向きあい飛び道具を使わない刃物だけで突撃する接近戦。

注9　弱肉強食的体質
弱ければ善悪関係なく情け容赦なくつぶされ、強い者だけが正しい。それがいやなら努力すればいいじゃないか。努力する人が好きだとい

う考え方。

注10　数直線

-4 -3 -2 -1 0 1 2 3 4

注11　移民法

二〇一八年十二月時の総理が作った法律で日本人と外国人が結婚すればその外国人は日本国籍を取得することができる。もちろん国民健康保険証も選挙権も得られる。アメリカ・ドイツ・イタリア・スウェーデンはすでに施行されている。

注12　人を見る

又く同じことでもこの人間がやっても誰も何も言わないがこの人間がやればクレームが付く。人によりけり。

注13　極地戦争

核兵器を使った本格的な戦争ではない小規模な戦争。

注14　東アジア共同体構想

中国を中心に東アジア地域に経済ブロックを作ろうとする動きである。日本では、民主党の鳩山由紀夫元総理が研究している。つまり黄色民族一国である。

注15　正政安民論

政治が正しければ民衆が安心して生活することができる論述（ろんじゅつ）の趣旨（しゅし）。

まつ
政りごと

発行日　2021年4月9日　第1刷発行

著者　藤森幸三（ふじもり・こうぞう）

発行者　田辺修三
発行所　東洋出版株式会社
〒112-0014　東京都文京区関口1-23-6
電話　03-5261-1004（代）
振替　00110-2-175030
http://www.toyo-shuppan.com/

印刷・製本　日本ハイコム株式会社

ISBN 978-4-8096-8623-8
定価はカバーに表示してあります

ISO14001 取得工場で印刷しました